Max et Lili en ont marre de se dépêcher

Série dirigée par Dominique de Saint Mars

© Calligram 2013
Tous droits réservés pour tous pays
Imprimé en Italie
ISBN : 978-2-88480-663-3

Ainsi va la vie

Max et Lili en ont marre de se dépêcher

Dominique de Saint Mars

Serge Bloch

CALLIGRAM

CHRISTIAN GALLIMARD

En tout cas, on va être en retard !

Et moi, à la danse ! À cause de vous !

Je ne peux pas faire plus vite. Ton prof va finir par te renvoyer, Max !

Impossible ! Sans le karaté, je meurs !

T'as du bol, la tortue, le prof est en retard... !

Ton kimono !

OH NOOONN !

9

14

15

16

20

22

23

24

25

28

DRIIIIINNNG !

Oh, ça sonne déjà...
On ne peut plus vivre
comme ça !

Elles veulent faire
une réunion secrète au
hangar pour parler des
« citrons pressés »...

On peut amener
des copains ?
On est plein de citrons
qui souffrent d'être
trop pressés !

Mais attention
aux espions et aux
chouchous...

Vous n'avez pas été
suivis...?

Je ne crois pas...

Mot de passe ?

Euh...
citron !

* *Speed*, en anglais, veut dire : rapide.

31

33

* *Slow*, en anglais, veut dire : lent. *Life* veut dire : vie. *House* veut dire : maison.

35

On vous dit aussi plein de mots tendres et d'amour !

Mais quand vous êtes énervés, stressés, vous nous aimez un peu moins !

Et comme vous l'êtes souvent...

On manque de patience, on a peur que vous y arriviez moins bien que les autres...

Faut accepter de ne pas être parfait. Et rentrer plus tôt, mieux s'organiser, et jouer PLUS avec vous !

Nous, on va se coucher plus tôt, après massage de pieds et gratouillis dans le dos !

38

40

Et toi...

Est-ce qu'il t'est arrivé la même histoire qu'à Max et Lili ?
Réponds aux deux questionnaires...

Si tu n'as jamais assez de temps...

Tu as trop d'activités ? On te met la pression ? Tes parents sont pressés, désorganisés, débordés, absents ?

Tu es lent, réfléchi, perfectionniste ? Tu as peur de rater, de ne pas faire plaisir ? On n'a pas confiance en toi ?

Tu ne vois pas le temps qui passe ? Tu es dans la lune ? Tes parents font tout à ta place pour aller plus vite ?

Tu es agité, vite lassé ? Tu n'arrives pas à choisir ? Ça te rend agressif ? Passes-tu trop de temps devant l'écran ?

Tu en souffres ? Tu as honte ? Tu n'arrives jamais à rattraper les autres ? On se moque de toi ?

Tu es parfois rapide, à l'heure ? Aimerais-tu avoir plus de temps pour rêver, traîner, même t'ennuyer ?

Si tu arrives à gérer ton temps...

Tu as des parents très organisés, décidés ? Ou pas
du tout ? Tu as envie d'être comme eux, ou pas ?

Tu finis une chose avant d'en commencer une autre ?
Tu t'entraînes à être rapide ?

Tu es habitué à prendre ta vie en main ? Tu fais
la différence entre le passé, le présent et le futur ?

Tu es relax, tu penses qu'il y a toujours plus lent que toi ?
Mais tu aimes prévoir et avoir un programme ?

Tu préfères aller vite et être le premier, même si tu
fais des erreurs ou ne respectes pas les consignes ?

Tu penses qu'il faut persévérer dans une activité
pour la maîtriser et en être comblé ?

PETITS TRUCS
POUR APPRIVOISER LE TEMPS

Pour les enfants :

• Choisis entre tes activités. Trouve celle qui te fait le plus de bien.

• Ne te laisse pas distraire par tout ce qui passe ! Replie tes antennes !

• Ne fais pas répéter tes parents ! Obéis tout de suite ! Sinon, ils vont s'habituer à répéter !

• Parfois, ça va plus vite d'accepter les choses et de ne pas partir en guerre ! Sois souple !

• Le soir, prépare tes affaires, ton cartable et dis ce que tu as sur le cœur.

• Si tu es fatigué, fais des petites pauses. Pour te calmer, écoute ta respiration pendant cinq minutes.

Et aussi pour les parents...

• Quand vous êtes avec vos enfants, soyez vraiment disponibles, et sans téléphone !

• Prenez rendez-vous pour jouer avec eux ! Vous les connaîtrez mieux et le jeu enlève la pression !

• Ne négociez pas pour tout. Ne pas avoir à choisir, ça repose les enfants !

• Partagez des moments de plaisir et de rire en oubliant l'utile et l'éducatif !

• Imposez des temps calmes. Limitez les écrans. L'ennui rend créatif !